W9-BXZ-194

Peppa
™
¡Diviértete con Peppa!
Bichos
Beascoa

Peppa y George ayudan a
Abuelo Pig a recoger hortalizas.
Abuelo Pig le pasa una
lechuga a Peppa.

Hay algo extraño sentado encima de la lechuga.

-Abuelo, ¡un monstruo horrible! -grita Peppa.

-Es un caracol -dice Abuelo Pig.

-Grr, grr. ¡Monstuo! -dice George.

A George le gusta el caracol,
que, de repente, desaparece.
-¿Adónde ha ido? -pregunta Peppa.
-Se ha escondido dentro de
su caparazón -explica Abuelo Pig.

-Abuelo, George y yo
queremos ser caracoles
-dice Peppa.

-Bueno -dice Abuelo Pig-, pues estos cestos podrían ser vuestros caparazones.

-Me comeré todas las lechugas del abuelo -ríe Peppa.

—Hey, caracol travieso... ¡Aléjate de mis lechugas!
—ordena Abuelo Pig con una sonrisa.

-Y cuando el abuelo se enfade conmigo -sigue riendo Peppa-, me esconderé dentro de mi casita.

-¡*Monstuo*! -dice George.

Aquí llegan los amigos
de Peppa y George.
-¿Podemos ser caracoles
también? -preguntan.

-Hummm -dice Abuelo Pig-, ¿quizá podríais ser otros animalitos del huerto?

-¿Qué es ese zumbido? -pregunta Peppa.

-Viene de esa casita -dice Suzy.

-Es una casa para las abejas -explica Abuelo Pig-. Se llama colmena.

—Las abejas recolectan el néctar de las flores, y entonces vuelan hacia la colmena para hacer miel.

–Hummm, me gusta la miel –dice Peppa.

–¡Vamos a fingir que somos abejas!

Bzz, bzz, bzz. ¡Ja, ja, ja, ja!

–¡Qué abejas tan atareadas! –ríe Abuelo Pig.

Abuela Pig ha estado horneando pan.
-¿Queréis tostadas, abejitas? -pregunta.

-Sí, por favor -dicen Peppa y sus amigos-.

¡Con mucha miel!

-Me gusta ser una abeja porque comen mucha miel dulce -dice Suzy.

-¡Y a mí me encanta ser un caracol
-exclama Peppa-, porque se comen
todas las lechugas del abuelo!